# 김태훈의 특별한 인생 이야기

# 김태훈의 특별한 인생 이야기

**김태훈** 지음

# 들어가면서

## 한 청소년의
## 특별한 인생 이야기

**"열심히 노력하면 정상으로 올라가는 길을 찾을 수 있다."**

**이 세상에 근면과 용기의 손에 닿지 않을**

**정도로 높은 곳에 놓여있는 건 아무것도 없다.**

**-알렉산드로스 대왕-**

이 책을 준비하려고 모처럼 나의 삶을 되돌아봤다. 사실 지금까지 내가 어떻게 살아왔는지 되돌아볼 여유도 없을 정도로 쉬지 않고 달려온 날들이었다. 일이 잘 되면 잘 되는대로 더 잘하려고 최선을 다해 노력했고, 잘 안 풀리면 잘 안 풀리는 대로 문제를 해결하려고 쉬지 않고 끊임없이 움직였다.

처음부터 정상으로 올라가는 길을 찾으려고 마음먹고 했던 건 결코 아니었지만, 주변에 날 응원해 주시는 분들로 인해 난 그 길을 찾아 움직일 수 있었고 그게 점점 더 높은 곳으로 향해 가게 되는 길이 되었다.

나는 가만히 앉아, 그런 지난날들을 되돌아보니 언제 어디서 한 번쯤은 들어봤던 문장이 하나 마음에 남았다. '알렉산더 대왕'이란 명칭으로도 우리에게 익숙한, 그 유명한 '마케도니아의 알렉산드로스 대왕'이 남겼다고 알려진 말이다.

이 말을 마음에 새기고 살았던 건 아니지만, 오랜만에 떠올리고 보니, 어쩌면 내 맘 속에 줄곧 품고 살아왔던 뜻을 풀어낼 수 있는 문장이 아닐까 싶다.

우리 김해에 거주하고 있는 10만 청소년들과 지역민을 위해 일해야겠다는 마음을 본격적으로 먹은 나이는 고작 중학교 1학년, 당시 14살에 불과했다. 당시 이 생각은 지금 내게 더 큰 울림으로 떠오르고 있다. 나는 그런 나 자신의 마음을 담아 이 책을 준비했다.

내세울 것 없는 소박한 삶이지만, 그동안 김태훈이 걸어온 길을 솔직히 말씀드리고자 한다. 나를 소개하고, 경상남도와 김해에 대해 오랜 시간 생각해 왔던 것을 정리하였다.

김해시에서 잠재력을 키워 나아가고 있고, 김해시의 미래를 책임질 소중한 청소년들의 소중한 이야기도 모아 담아봤다. 쉽지 않은 길을 나와 함께 달려주고 있는 가족에 대한 이야기도 적어보고, 친구들이 들려주는 따뜻한 이야기도 모아보았다.

이 책을 준비하는 데에 있어 많은 분들이 도움을 주셨다. 실제로 인터뷰를 흔쾌히 수락해 주셔서 책의 내용을 함께 만들어 주신 분들도 많으시다. 이 자리를 빌려 감사의 말씀을 드리고자 한다.

그 밖에도 내가 이렇게 성장하게끔 도움을 주셨던 지역사회의 많은 분들과 좀 더 큰 안목을 키울 수 있게 이끌어주셨던 우리 가족과 소중한 친구들, 그리고 지역에 시•도 단체장님들, 시•도의원분들, 청소년 참여기구 위원분들, 청소년 운영기구 위원분들, 지역학생의회 의장님들과 의원님들, 저에 대한 좋은 기사를 많이 작성하여 실어주신 다양한 매체의 기자분들을 비롯한 많은 분들께도 감사의 말씀을 드리고 싶다. 무엇보다 사랑하는 우리 가족들에게 고맙고 그 고마운 마음을 전하고 싶다.

늘 앞만 보고 돌진하는 나를 사랑과 믿음으로 지지해 주는 이들이 있었기에, 지금의 내가 있을 수 있었다고 확신한다.

이토록 사랑하는 사람들과 지역을 위해 열심히 뛰고 싶다. 아무것도 모르는 한 아이를 지금까지 성장할 수 있도록 키워 주셨던 모든 분들께 더 풍요롭고 살기 좋은 지역사회를 선물해드리고 싶다.

그리고 김해의 10만 청소년 친구들이 지역에서 생활하기 좋은 공간도 마련해주고 싶다.

2024년 02월

김해시 금병산 전망대에서

**김태훈** 올림

한 청소년의
특별한 인생 이야기

# 목차

# 김태훈은 성장합니다

"꿈은 끊임없이 나를 키웁니다."

# 1부

# 지난 3년간의 의정 활동 기록

# 01_
# 김태훈, 아이들을 위한 길로 들어서다

김해 진영중학교 전경 앞 모습 촬영 사진

경상남도 김해시 진영에서 태어나고 자라나 현재 창원대산고등학교 1학년에 재학 중이다. 나는 대한민국 제16대 노무현 대통령의 모교인 진영중학교 출신이기도 하다. 지금부터 한 청소년의 특별한 인생 이야기가 시작됩니다.

김태훈과 함께하는 지난 3년간의 특별한 의정 활동 기록을 담은 대한민국의 오늘과 내일, 그리고 김해 지금부터 시작합니다.

정치의 고장, 경남 김해시 진영에서 자라나며 정치에 대해 자연스럽게 알게 되었다. 지역사회 발전을 위해 많은 사업을 하시는 분이며, 사업으로 벌어들인 수익을 아낌없이 지역사회와 지역발전을 위해 사회에 환원하신 분들도 알게 되었다.

또한, 누구보다도 김해시를 사랑하시고 김해시민을 대표하시는 많은 김해시의원님들과 김해시장님, 김해 갑 지역구 국회의원님도 알게 되었다.

이런 어른들의 모습이 나에게 큰 영향을 미쳤다.

지금까지 살면서 내 삶에 제일 큰 영향을 주신 분들이므로, 개인적으로 롤 모델로 삼으며 살아가고 있다. 큰돈을 벌어도 자신의 이익만을 위해 쓰는 것이 아니라 우리 사회가 더 좋은 방향으로 나아갈 수 있는 곳에 쓸 수 있다는 것을 몸소 보여주고 실천하는 어른이 있다.

처음엔 박동진 회장님을 따라 부동산 시행 사업 쪽 진로를 희망했었다. 박 회장이 걸어온 길을 따라 지역발전과 지역사회에 좋은 영향을 주는 사람이 되고 싶었기 때문이다.

그러다 중학교 2학년 때 그가 김해시장 선거에 출마하는 것을 보고, "아, 지역발전과 지역사회를 위해 일할 수 있고, 지역시민분들을 위한 경제 정책을 펼칠 수 있는 더 직접적이고 빠른 길이 있구나!"라는 것을 깨달았던 것 같다.

그때부터 나도 지역시민분들을 위해 일하는 일꾼이 되고 싶다고 생각했다. 사실 또래 친구들은 정치에 관심이라고는 1도 없는 아이들이 대다수다. 몇몇 친구들은 정치 말고 차라리 다른 것을 하라고 권유

하고는 한다.

하지만, 나는 우리 사회에서 정치로부터 자유로운 사람은 없다고 생각한다. 정치는 그만큼이나 우리 생활 구석구석에 스며들어 있는 것이다.

이 책을 읽는 독자분들께 한 말씀드리고자 한다. 인생에는 실패란 존재하지 않는다. 누구나 다 겪어야 할 과정일 뿐이다. 누구나 상처를 받아본 적이 있기에, 나을 수 있는 방법을 알고, 실패해 봤기에 다시 성공하는 과정을 알고 있다.

그러니 이루고자 하는 것에 계속 도전해 보는 건 어떨까? 넘어지고 쓰러지고 아파하며 상처받아도 괜찮다. 결국 그 마지막 순간들은 추억으로 남고 나를 되돌아볼 수 있는 멋진 나 자신이 있으니 말이다. 나 자신을 믿고 도전하기 위한 첫걸음을 '정치'라는 한걸음에 두는 것이니 말이다."

이 말이 어쩌면 저자 김태훈이 학생으로서 살아온 삶을 가장 명확하게 표현할 수 있을 테다. 10대 때부터 청소년들의 정책에 앞만 보고 달려온 그는, 나라와 지역사회를 위한 헌신의 꿈을 잃지 않았다.

그러니까 학생으로서 동분서주하는 삶 속에서, 그는 사실 중앙이나 지방 차원의 정치에 그리 관심을 많이 가져온 것은 아니었다.

하지만 정치에 대한 그의 관심은 언제나 현실의 일상에서 시작하는 것이었다. 보아라, 아침에 뉴스를 접할 때도 접근하기 쉬운 것이 바로 정치이다. 나는 구체적인 정책을 보다 확실하게 펼치는 게 꿈이다.

하지만, 지금 대한민국의 정치 형태 가운데 지역사회의 현실 상황을 잘 이해해서 올바른 '정책' 방향에 대해 구체적인 그림을 그리게 되었다. 그가 15살 어린 시절 이미 '국회의원'이 되어야겠다는, 당시로선 막연했던 목표를 세운 것은 이런 현실에 대해 직관적으로 이해할 수 있었기 때문이 아니었을까라는 생각을 해본다.

그렇게 학생으로서 청소년들을 대표하며 쌓아왔던 지난 도정 활동, 시정 활동, 의정 활동을 토대로 정치가의 기량을 통합적으로 발휘하여, 생활밀착형 정책을 펼치는 리더로 거듭나기를 꿈꾸면서, 부족한 소회를 담아 이 책을 쓰게 되었다.

지금부터 내가 어쩌다 정치의 길로 들어섰는지 구체적인 이야기를 하고자 합니다. 아직 학생이지만, 그만큼 지역에 관심이 많고 민생에 관심이 많다는 것을 보여주고자 한다.

# 02_
# 진영읍, 어린시절 꿈을 키우고 펼치다

진영 서어지 공원에서 촬영한 사진

지난 시절을 반추해 볼 만한 계기도, 그럴 여유도 없이 살아온 것 같다는 게 더 정확한 표현이겠다.

이 책을 준비하며 마음먹고 지난날을 되돌아보게 되면서 어린 시절에 대한 새로운 깨달음을 다시 생각해 본다.

작은 도시에 별로 특출할 것 없는 한 소년의 삶이었지만 그 안에 모든 것을 피워낼 수 있었던 씨앗이 담겨 있던 게 아니었을까. 내가 지금 하고 있는, 또 하려고 하는 모든 일들, 그리고 지금까지 살아오면서 만났던 모든 주변 사람들과의 관계 등이 전부 그 시기의 경험 속에 응축되어 있었다고 말이다.

나는 경상남도 김해시 진영읍 진영리에서 태어났다. 진영읍 진영리는 마을 뒤편에 정병산에서 이어지는 낮은 산구릉이 있다. 동구 마을 가운데에 간부샘이 있다. 중구와 동구 사이에 진영역이 있다. 자연마을로는 대진교(大進橋), 동구(동부), 여부골(어부골, 부곡), 장고산, 장등(진등), 중구(중부), 서구(西區), 밀포(密浦, 한구말), 철하(鐵下, 송구), 신동(新洞) 등이 있다.

진영읍의 주산인 금병산(金屛山) 아래 풍수지리적으로 진영형국(陳營形局)으로 조성된 마을이라고 하여 진영리라고 하였다. 한구말(밀포)은 장고산 북쪽에 조성되어 있다.

진영리는 옛날부터 살기 좋은 지역이다. 큰 자연재해가 난 적이 없는 동네라고 전해진다. 나는 현재까지 17년을 살아오며 있는 곳이다. 나는 그야말로 '찐' 진영 토박이라고 해도 과언이 아니다.

나의 어린 시절을 돌이켜 보니, 당시엔 그렇게 하루하루가 이후 나의 인생이 펼쳐지게 하는 좋은 씨앗이 되었던 것 같다. 그야말로 모든 요소가 다 들어 있었다.

사랑이 넘치던 안정된 가정에서 대어나 지금 17세까지도 가족들은 서로를 챙기며 화목하게 살아가고 있다.

무엇보다 어린 나이에 나름대로 세상을 접하다 보니, 인생을 폭넓게 보기 시작했던 게 아닌가 싶은 생각이 든다.

중학교 1학년 때, 인생의 목표 3가지를 마음속에 새겼던 게 기억난다.

첫째는 무엇보다 가족과 아를 응원해 주시는 분들을 챙기는 것, 둘째는 지역에 봉사하는 사람이 되는 것, 셋째는 故 노무현 대통령님 같은 사람이 되는 것. 당시에 故 노무현 대통령님이 쓰신 글과 책을 많이 읽기도 했고, SNS와 유튜브 등으로 많이 봤기 때문이었다.

지금 생각해 보면 짠한 마음이 들기도 하고 저절로 웃음이 나오기도 하지만, 사실 그 소원들을 따라 지금까지 걸어오고 또 걸어가야 하는 셈이다.

일단 학생으로서 어른들에게 학생들의 목소리를 들려주기 위해 노력해 왔고, 어느 정도 학생들을 위해 목소리를 냈다고 생각이 들었을 때 학생들을 위한 정치를 해야겠다고 살아가고 있는 것 같다

어쨌든 내가 원하는 방향으로 살아온 인생이 맞는 것 같다.

어린 나이부터 학생들의 목소리를 내고 학생들을 위해 뛰어든 작은 정치는 결코 쉬웠을 리는 없다.

그러면서도 정작 어른들은 학생들의 목소리를 듣기만 하는 것이 현실이었다. 하고 싶었던 것도 많았지만 그중 어느 하나라도 할 수 없었다.

명확하게 인지하며 살아가고 있는 건 아니지만, 그런 부분이 내게 상당히 힘들게 느껴지고는 했던 것 같다.

내가 아직도 기억하는 것은 “어려운 청소년들에게 힘이 되어주는 사람이 되어야지”라는 마음을 다져왔다는 것이다.

그런 경험이, 그리고 거기서 형성된 그런 마음이, 자라나는 인재들이 경제적 이유로 자기의 꿈을 펼치지 못하는 일은 없어야겠다는 생각이 들었고 지금까지도 이러한 정책을 만들고 목소리를 내는 데에 있어 꾸준히 해오게 된 밑바탕이 되어준 게 아닌가 싶다.

그렇게 다이내믹한 어린 시절을 보냈던 내 고향 진영은 여전히 내 마음속에 깊이 자리 잡고 있는 친구 같은 고향이다. 나는 이런 친구 같은 고향에서 평생 살아가고 싶다.

# 03_ 진영중학교 제77대 전교학생회장의 길

김해 진영중학교 제77대 학생회장 취임식

나는 정치의 꿈을 키워가기 위해 학생으로서 할 수 있는 소규모 정치인 전교학생회를 이끌어가 보기로 다짐했다.

나는 나의 꿈을 실현시키기 위해 한걸음 걸어 나간다. 2022년 12월에 재학 중이었던 진영중학교 제77대 전교학생회장 선거에 출마하였고, 당당히 득표율 과반수 이상 (40.46%) 당선으로 진영중학교 제77대 전교학생회장에 선출되었다.

전교학생회장으로서 진영중학교 학생들을 위해 몸소 실천하며 일했다. 선거 당시 정책으로는 한 학기가 지난(2023년 9월) 모든 성과를 냈다.

대표적인 공약은 운동장과 피구장 사이 펜스 설치, 체력단련실 사용 가능 추진, 교내 후드티와 맨투맨 착용 허용, 교내 스포츠클럽 개최 추진 등등 여러 정책을 내었고, 학생들의 90% 이상 긍정적인 반응을 보였다.

전교학생회장으로 선출된 후 전교학생회장단을 비롯하여 전교학생회 임원 5명과 함께 학교 행사와 정책 계획 및 기획서를 직접 제작하여 선생님들을 설득하였다.

감사하게도 예산안 안에서 충분히 해결할 수 있는 것이라며, 학교 측에서 정책이 이행될 수 있도록 협력해 주셨다. 나는 아이들을 위해 또 한걸음 나아간다

나는 주요 성과로 "교내 체육 한마당"을 선정하고자 한다. 전교생이 모두 참여한 만큼 큰 의미가 있었던 학교 축제가 아닌가 싶다. 참고로 이 행사의 계획가 기획은 모두 내가 하였다.

나는 진영중학교 전교학생회장의 과정에서 많은 것을 배울 수 있었다. 큰 정치로 나아가기 전 작은 규모의 정치활동을 하며, '정치란 무엇인가'에 대한 나름의 생각을 정리할 수 있었다.

결국 정치란 지역 시민분들을 위한 정책을 펼침으로서 몸소 실천할 때 의미가 있는 것 아닐까라는 생각을 해본다.

나는 앞으로 성인이 되어서도 정치의 길을 걷게 된다면, 지역 시민을 위한 정책을 펼쳐 지역 시민만을 위한 방향으로 나아가는 사람, 정치가 아닌 정책을 펼치는 사람이 되고 싶다. 아마도 많은 분들께서 그렇게 생각하실 거다.

정치가 아닌 정책을 펼치는 사람말이다.

나는 학교에서의 작은 소규모의 정치는 성공한 것 같다. 전교생의 95% 이상의 학생들이 "교내 체육 한마당"에 만족했기 때문이다.

나는 중학교 전교학생회장을 하며 아이들의 요구를 거의 다 수용했다. 그럼에도 불구하고 많은 비난을 받는 것은 당연한 것이 아닐까라는 생각이 든다.

사람들의 심리가 그러하다. 100번 중에 99번 잘하고 1번 못하면 나머지 99개 대한 잘한 것과 같이 비난을 받는다. 나는 지난 1년간 이런 전교학생회장의 삶을 살아왔다.

그래도 나는 뿌듯하다. 학생들이 원하고 학생들이 즐기고 학생들이 만족한 것만으로도 나는 만족한다.

학교에 있으면 학생들에게 많은 이야기를 듣곤 한다. “회장님 저희 급식실 가는 쪽 계단이 이상해요” 나는 아이들의 이야기를 듣곤 곧장 그 장소로 가본다. 가면 아이들이 말한 문제점이 있다.

나는 그 문제점을 행정실에 문의하거나 내가 직접 처리할 수 있는 문제면 직접 처리한다. 이런 일을 하는 것은 아이들에게 보다 좀 더 나은 학교생활을 만들어 주기 위해서이다. 아이들이 말 한 문제의 그 장소로 직접 가보는 것도 참 좋은 일이다.

다음부턴 이런 일이 안 생기도록 하는 것도 당연하지만 무엇보다 아이들의 안정을 지킬 수 있는 방안을 마련할 수 있는 길이 된다.

나는 지난 1년간 아이들의 소중한 말에 귀 기울여 생활했다. 나의 제77대 전교학생회 슬로건도 이와 비슷한 문구이다.

나의 제77대 슬로건은 "소통으로 더욱 성장하고, 신뢰받는 학생자치회"이다. 이처럼 아이들과 소통하며 성장하면 그보다 더 좋을 건 없다.

그러니 무조건 소통하자, 소통만큼 좋은 건 없다. 나의 개인적인 생각이지만, 상대방과 소통을 하게 된다면 상대방의 전반적인 기분과 원하는 것을 알 수 있게 된다. 그러니 무조건 '소통'이 중요하다.

# 04_
# 김해학생의회
# 제02대 의장의 길

김해학생의회 제02대 의장 취임식

나는 아직 학생이지만, 지역사회 일에 나름 목소리를 내고 참여하고자 노력한다. 2023년 5월 치진 제02대 김해학생의회 의장단 선거에서 득표율 40.26% 과반수 이상의 득표율로 김해시의 거주하는 학생들의 선택을 받아 김해학생의회 의장에 당선되었다. 또한 연달아 실시된 제02대 경남학생의회 의원 선거에서도 당선되며, 경남지역과 김해지역 학생들을 대표하여 지역 청소년들을 위한 정책을 만들고 펼치고 있다.

예를 들면 학생들이 많이 다니는 공원의 문제 같은 것이다. 인라인스케이트장 벽에 욕설과 성적인 문구가 쓰여있어 도색을 다시 해달라고 김해시에 전달하거나, 김해시의회에 해당 지역구 시의원님께 알려드리고, 인라인스케이트장 한가운데 바닥판에 큰 구멍이 있어 정비를 새로 하거나 바닥판 교체를 해달라고 말씀드린다.

이런 민원을 김해학생의회에서 학생들의 편의를

위해 직접 가서 보고 시의원님들께 직접 이야기드리거나 문자나 전화로 알려드린다.

대체로 이런 말씀을 해당 지역구 시의원님들께 말씀드리면 귀 기울여 들어주시고, 그 부분에 대한 조치를 빠른 시일 내에 취해주신다.

나는 내가 태어나고 살아가고 있는 김해시 진영은 살기 좋은 도시지만, 한편으론 청소년 쉼터 등 지역 청소년들을 위한 시설이 많이 부족하다고 느낀다. 나도 지역에 한 청소년으로서, 청소년 정책 보완이 필요하다고 보는 부분이다.

지역 청소년을 위한 독서실, 연습실, 영화관, 풋살장, 보드게임방, 등 시설이 한 데 모임 청소년문화복합센터가 필요하다고 생각한다. 지금 진영 지역 청소년들을 비롯한 많은 경남지역 청소년들은 이런 곳을 찾아 인근에 위치한 부산이나 창원, 마산 등 대도시를 찾아 나가고 있다.

진영지역의 청소년들이 진영 안에서 놀 수 있다면 얼마나 좋을까라는 생각을 해본다.

나는 김해학생의회 의장으로서 학생들의 교육 현안에 대해 깊은 생각을 해보았다. 깊은 고민의 결과 나는 김해학생의회에서 "Chat GPT 인공지능 시대를 위한 새로운 교육 조례안"을 대표 발의하였고, 모든 의원님들의 선택으로 최종 통과되었다.

내가 만든 이 정책이 경남학생의회에 올라와 최종 심의 결과 대한민국 최초로 학생의 조례안이 통과되었다. 현재 이 조례안은 정책이 되어 대한민국 교육부에서 대한민국 모든 학교에 시범 운행 중에 있으며 경상남도교육청이 제일 먼저 시범 운행에 들어가 큰 인기를 끌고 있다.

나는 이렇게 청소년들의 교육이 더 편리해지도록 조례안을 내었고 지금 이 순간에도 시행되고 있다는 그 자체에 너무 만족한다.

나는 김해학생의회 의장으로 활동하던 당시, 김해 지역 아이들의 민원이 있으면 그 해당 지역을 직접 방문하여 무엇이 문제인지 살펴보았다.

대표적으로 아이들의 운동 시설 등에 문제가 많았다. 나는 이런 문제점을 김해시의회 관계자분들께 전달해 드리며 많은 생각을 해보았다. “아이들의 문화시설이 한곳에 집중되어 있는 곳이 없을까?” 이런 생각을 한 적이 있었다.

하지만, 나의 생각은 곧 실현되었다. 현재 장유에 ‘청소년 문화복지센터’가 준공되어 있다.

‘청소년 문화복지센터’가 준공되고 나서 최대 장점은 많은 인원의 청소년들을 수용 가능하다는 것이고, 그만큼 많은 프로그램을 진행한다는 것도 최대의 장점이라고 할 수 있다.

하지만, 장점이 있다면 단점도 있는 법, 단점을 꼽자고 하면, 김해지역 아이들이 과연 장유로 오려고 할까? 교통을 편리할까? 굳이 가야 할 이유가 있을까? 등을 생각해 볼 수 있겠다.

김해 10만 청소년들의 생각을 듣고 '청소년 문화복지센터' 장소를 선정했으면 좋았을 텐데 이 점이 가장 아쉽기도 하다.

학생들의 현장은 학생들이 직접 목소리를 내어야 한다고 생각한다.

학생들의 정책을 어른들의 생각으로 실행시키는 것은 매우 잘못된 행동이다. 학생들이 앞으로 경험할 일을 어른들이 어른들의 생각으로 실행시키는 것보다 이젠 아이들에게 아이들이 살아갈 공간을 위해 아이들이 생각할 수 있게 하고, 목소리를 낼 수 있게 하는 것이 바람직하다고 생각한다.

앞으로 김해시는 '학생들의 목소리에 귀 기울이며, 학생들의 의견을 잘 듣고 시정에 반영하겠다"라고 이야기한 적이 있습니다.

학생들의 정책을 학생들이 결정할 수 있는 권한을 다시 되돌려 받은 것에 대해서는 매우 다행스럽기도

하고 자랑스럽기도 하다고 말씀드리고 싶습니다.

아이들의 꿈과 희망을 위해 하루하루 열심히 활동하는 사람, 김태훈입니다.

김해시 청소년 문화복지센터 조감도

# 김태훈은 일 합니다

'정치'가 아닌 '정책'을
펼치는 사람이 되겠습니다.

# 2부

## 노력과 결실, 변화의 힘

# 01_ 존경과 기억, 반드시 기억해야 하는 사람들

김해시의회 견학 소견 발표 모습

만약 나보고 기억할 만한 분 중 존경하는 인물을 꼽으라고 하면, 머릿속에 확실히 떠오르는 사람들이 있다.

바로, 나를 응원해 주시는 모든 분들이다. 우리 사회인이라면 어느 누구라도 공감하시리라 감히 생각한다.

모든 사람은 칭찬에 기분이 좋아지기 마련이다. 그 칭찬이 사람을 바꿔 나가고, 세상을 바꿔나가는 것처럼 나도 나를 응원해 주시는 모든 분들의 칭찬으로 이만큼 성장해 왔고, 나를 응원해 주시는 분들이 내게 해주신 칭찬과 응원은 무엇과도 바꿀 수 없는 소중한 보물과도 같다.

나는 처음엔 성공한 사업가가 되고 싶다는 인생 목표를 세웠던 중학교 1학년 무렵, 나에게는 또 하나의 인생 목표가 있었다.

바로 국민을 대표하는 국회의원이 되겠다는 것이다. 당시 나는 국회의원 누구를 보고 그런 뜻을 세우지 않았다.

단지, 김해시의원분들과 경상남도의원님들, 김해시장님, 경상남도지사님, 김해 갑 국회의원님 등 정치에 연관된 모든 사람들을 보고 "아, 나도 지역을 위해 뛰는 국회의원이 돼야겠다."라는 인생 목표를 세울 수 있었다.

아직, 학생으로서 정치를 깊이 이해하는 데에 있어서 한계가 있는 것은 사실이다. 하지만, 정치의 좌충우돌 가운데 지역사회의 현실 상황을 잘 이해해서 올바른 '정책'을 만들고, 그것을 실현시키는 것을 인생 최종 목표로 두고 있다.

내가 아는 정치인 중에서 가장 훌륭하고 가장 존경하는 정치인 한 분을 굳이 뽑자고 한다면, 대한민국 제16대 대통령이자, 나의 모교 진영중학교 졸업 16회 선배님이신 고(故) 노무현 대통령이다.

비록 아직까지 정당을 정하지 않았지만, 중립인 선에서 이야기해 보고자 한다. 고(故) 노무현 대통령님은 내가 현재 살아가고 있는 지역에서 정치를 하신 분이고, 이에 앞서 대한민국 5000만 국민을 대표하며, 나라를 위해 큰일을 하신 분이다.

고(故) 노무현 대통령님을 보고 정당과 색으로 판단하는 건 아무런 의미가 없을 것 같다. 고(故) 노무현 대통령님은 오직, 나라와 국민, 지역만을 위해 일하신 진정한 일꾼이기에 나는 아직 어린 나이에도 존경하는 마음을 품으며 세상을 살아가고 있다.

사실, 나는 고(故) 노무현 대통령님을 단 한 번도 뵌 적이 없다. 내가 태어나고 1년 뒤인 2009년 5월 23일에 서거하셨기 때문이다.

나는 살기 좋은 도시를 만들기 위해 고(故) 노무현 대통령님의 자서전을 자주 읽어보고는 했다. 고(故) 노무현 대통령님은 정치가로서 정직하고 소박하며, 서민의 삶에 밀착한 태도를 보이는 자세, 자신을 돌보지 않는 험난한 사회의 약자에서 큰 집단까지 아우르던 그 크나큰 통솔력을 배우고 싶다.

# 02_
# 그리고 새로운 다짐

홍태용 김해시장님과 간담회 진행

나는 정치인이 되기 전 우리 삶 속 경제적 기반이 제대로 자리 잡도록 하는 기본적 토대는 무엇인지 생각해 보았다. 나는 그것이 바로 우리 생활에 밀착해 있는 '정책'이라고 생각한다.

'정치'와 '정책'을 통해 우리 지역사회에 더 큰 자원을 끌어올 능력을 갖추면서도, 거기에 바라지 않고, 그 자원을 토대로 제대로 된 '정책'을 구현하여 김해를 대한민국에서 제일 살기 좋은 행복 도시로 만들고 싶다.

하지만, 아직까지는 대한민국의 한 학생으로서 '정책'을 펼치는 '정치인'으로 거듭나기 위해, 앞으로 많은 시련과 고통이 있으리라 생각이 든다.

아직, 학생이고, 지난 3년간 아이들을 위한 길만 걸어왔기에, 많이 서툴고 부족합니다.

앞으로 제 인생 목표를 함께 채워 나갈 수 있도록 여러분들께서 많은 도움과 응원을 해주십시오. 반드시 기대에 부응하는 큰 정치인이 되도록 하겠습니다.

# 03_ '목표'와 '노력' 그리고 '도전 정신'

경상남도청에서 박완수 경상남도지사에게 발언하는 모습

"이루어야 할 목표가 명확하면 어떤 노력을 해야 할지 그 길이 또렷하게 보이기 시작한다."

내가 세상에서 가장 좋아하는 말이나, 내가 만든 소중한 좌우명이다.

이 말은 지금 생각해 봐도 하나도 틀린 말이 아니다. 자신의 목표가 명확하다면, 어떤 노력을 하여야만이 그 꿈의 길이 보일 것이다.

나는 앞에서 말한 것과 같이 처음엔 성공한 사업가가 꿈이었다. 하지만, 내가 지역을 위해 할 수 있는 일이 성공한 사업가가 아닌, 지역을 위해 봉사하고, 지역을 위한 정책을 만들며 그 정책을 실현시키는 것이 '정치인'이라는 것을 생각하게 되었다.

내가 처음에 부모님께 정치를 하겠다고 말씀드렸을 땐, 엄청난 반대를 하셨다. 그러다 정치인의 꿈을 포기하려던 순간 우연히 대한민국 제14대 대통령이신 고(故) 김영삼 대통령님의 프로필을 보게 되었다.

고(故) 김영삼 대통령의 집안은 '김녕 김 씨 충정공파'이셨다.

순간, 내 머릿속은 백지로 가득 찼었다. 나 또한 '김녕 김 씨' 집안의 한 사람이었기 때문이다.

나는 이 자료를 토대로 부모님께 다시 한번 더 말씀드려 보았다. 우리 집안에도 이런 훌륭하신 분이 계셨는데 내가 지금보다 더 성장한 '김녕 김 씨'를 보여드리겠다고 말이다.

그러자, 부모님께서도 어쩔 수 없으셨는지 내 인생 목표인 정치인으로 성장시키기 위해서 도움을 주신다고 하셨다. 물론, 부모님께서 왜 '정치인'이란 꿈을 말리셨는지 이해를 못 하는 것은 결코 아니다.

하지만, 내가 결코 이 정치인의 길을 선택한 것에 있어서는 단 1도 후회가 없었고, 지금도 이 마음은 단, 1도 변화가 없다.

나는 내가 이루어야 할 명확한 목표에 한걸음 나아간 것이라고 생각한다. 성경에 이런 구절이 있다.

"네 시작은 미약했으나, 그 끝은 창대하리라."(욥 8:7) 비록 힘든 고비가 있을지라도 그 끝은 빛날 것이라 믿는다.

아직 나처럼 명확한 꿈을 찾은 사람도 있을 수도 있지만, 못 찾은 사람들이 더 많을 것이다. 나는 자신의 꿈을 아직 찾지 못한 사람들에게 이 말을 해주고 싶다.

"이루어야 할 목표가 명확하면 어떤 노력을 해야 하는지 그 길이 또렷하게 보이기 시작한다." 자기 자신을 믿는다면 스스로의 한계를 설정하지 말고, 자신의 잠재력을 믿고 나아가야 한다고 생각한다. 자기 자신을 믿고 도전하라.

# 04_
# '노력'과 '과정' 그리고 '성공 정신'

맨 왼쪽부터 김태훈, 박완수 경상남도지사 기념 촬영 모습

나는 어쩌면 아이들 덕분에 정치에 더 큰 관심을 가졌는지도 모르겠다.

나는 사실 처음에는 사람 만나는 걸 되게 무서워 했었다. 단지, 어떤 특정한 이유가 아닌 어떤 주제를 놓고 이야기를 해야 하는 지와 “말을 잘못하면 어떡하지”라는 압박감 때문일 수도 있다.

이 때문에 나는 사람을 만나는 것에 점점 더 거리를 두게 되었다.

하지만, 이랬던 내가 중학교 2학년 때부터 지역에 활동을 하기 시작하면서 사람들을 많이 만나야 했고, 이 때문에 어떠한 주제로 이야기를 이끌어 가야 하는 상황에 놓이게 되었다.

나는 이를 극복하기 위해 주변의 권유로 책을 읽게 되었다.

그 책이 바로 '데일카네기 인간관계론'이다. 이 책을 읽으며, 사람들과 소통하는 방법에 대해 알게 되었고, 나만의 방법을 터득하여 사람들에게 다가가서 먼저 이야기해 보았다.

대화를 해본 결과, 돌아온 답변은 의외였다. "학생치고는 너무 잘 알고 너무 정확하고 말도 참 잘하는구나."라고 말이다.

나는 이때부터 말하기에 대한 강한 자부심을 갖기 시작했다. 이를 계기로 회의를 주도적으로 이끌어 나갔고, 사람들과 덕담을 나누며, 지역에 인맥 또한 쌓아 나갔다. 나는 이 말 하기 하나로 지역 말하기 대회에도 나간 적이 있었다.

이때 이 진영 말 하기 대회에서 KBS 9시 뉴스에 출연한 것이다. 굉장히 뜻깊은 시간이었었다.

나는 현재까지도 사람들과 잘 어울리며 지내고 있다. 단, 장점이라면 장점일 수 있고, 단점이라면 단점이라고 할 수 있는 것이 하나 있다. 바로, 예전에 비하여 말 수가 너무나도 많아진 것이다.

하지만, 아이들이 지금의 모습이 더 낫다기에 난 말 수를 줄이지 않는다. 듣고만 있는 것도 많이 지겨울 텐데 참 고마운 친구들이다.

이처럼, 이 모든 행동 하나하나가 '노력'과 '과정'에서 나온 것이다.

모든 일에도 정성 들인 노력을 기울인다면, 그 정성 들인 과정은 결국 성공으로 가는 지름길이 될 것이다.

# 김태훈은 함께 합니다

"함께하는 우리의 미래는
밝은 현실이 될 수 있습니다."

# 3부

# 학생 '김태훈'을 말하다

# 01_ 박규빈 - 진영중학교 소중한 친구

행복교육 10년
미래교육 100년

나에겐 '김태훈'이란 그 누구보다 항상 열심히 하고많은 학생들을 위해 열심히 일하는 그야말로 나에겐 롤 모델이다.

김태훈은 어느 누구보다 학생으로서 정치에 열심히 뛰어들고 나설 줄 아는 이 시대의 진정한 학생 정치인이다.

나도 같은 정치인을 꿈꾸는 사람으로서 김태훈 선배처럼 되겠다고 다짐 또 다짐하고 있다. 김태훈 선배는 그 누가 보더라도 항상 성실한 미래의 정치인이다.

김태훈 선배 덕분에 정치에 관심도가 높아지고, 김해학생의회 의장으로서 더 많은 걸 가르쳐 주시는 그는 김태훈이다. 그는 타인을 먼저 바라보고 학생인권이 얼마나 중요한지 몸소 보여주고 가르쳐 주는 인물 중 한 사람이다.

어른들은 말합니다. "학생이 정치를 해서 뭐 하냐?"라고 말합니다.

하지만, 김태훈은 그 편견을 깨고 대한민국에 소속된 경남, 김해 지역학생의회 5선 중진의원이고, 김해학생의회 의장으로 활동하고 있습니다.

이를 보고 누가 왜 정치를 하냐 할 수 있겠습니까? 저는 김태훈 선배가 그냥 김해시 진영읍에 평범한 진영 사는 선배인 줄 알았는데 알고 보니 지역학생의회 5선 중진의원이라서 많이 놀랐습니다.

저는 김태훈 선배를 만나기 전 정치에 대한 안 좋은 편견이 있었습니다. 근데 김태훈 선배는 저에게 정치란 무엇인가를 가르쳐 주신 분이고, 지금까지도 여러 정치를 가르쳐주셔서 저에겐 소중한 한 사람입니다.

저도 작년 봄부터 지금까지 정치에 관심이 있어 여러 김해시의원분들을 만나며, 김해에 문제점에 대해 여러 이야기를 나누고 있습니다. 저는 초등학교 재학 당시, 방송부 출신이어서 시간이 된다면 김태훈에 대한 다큐도 찍어보는 게 꿈입니다. 근데 갑자기 책을 쓰신다 하니 아주 놀랐습니다.

처음엔 “와 김태훈 선배가 책을?” 이런 반응이었습니다.

그런데 저의 시선에서 바라본 김태훈을 쓰라고 해서 쓰고 있네요. 다시 요점으로 돌아와서 김태훈 선배는 현재 김해학생의회와 경남학생의회에 소속되어있습니다.

제가 가끔씩 김태훈 선배에게 여쭤봅니다. “형 의장 어떻게 해요?” “의원은 어떻게 되는 거예요?”라고 여쭤봅니다. 왜냐면요, 저도 김태훈 선배처럼 ‘멋진 사람’이 되고 싶기 때문입니다.

가장 큰 요점은 김태훈 선배는 제 인생에 있어 가장 큰 영향력을 주신 분으로 내 꿈을 찾는데 좋은 길잡이가 되었습니다.

책에 쓰는 내용이지만 이 말씀은 꼭 드리고 싶다. “김태훈 선배님, 저 규빈이에요. 선배님 덕분에 저에 대한 꿈에 더 큰 관심을 가지게 되었어요. 항상 챙겨주셔서 너무 감사하고요. 저도 곧 선배님께 좋은 모습으로 보답드리겠습니다. 감사합니다!”

## 02_

## 유동민 -
## 진영중학교 소중한 친구

# 모든 정책을
# 학생 중심으로

나에겐 '김태훈'이란 세상엔 둘도 없는 보약 같은 친구입니다. 나는 중학교 시절 태훈이와 3학년 시절을 같은 반에서 보냈고, 같이 졸업하였습니다.

저는 태훈이를 중학교 2학년 때 처음으로 알게 되었습니다. 중학교 2학년 때는 다른 반이어서 잘 아는 사이는 아니었지만, 복도에서 보면 태훈이는 항상 아이들을 위해 노력하는 모습을 언제나 보여줬습니다.

그 해 무렵 태훈이가 전교학생회장 선거에 나와 놀랬습니다. 그리고 저는 생각했습니다. "아, 태훈이가 아이들을 위해 학교에 봉사하고 싶은 마음이 이렇게나 크구나"라고요.

저는 태훈이가 전교학생회장을 출마했을 때 그 누구보다 지지하였고, 응원하였습니다.

역시나 제가 본 태훈이의 모습은 전교학생회장으로 당선된 뒤에 지금까지의 노력을 알게 되었습니다. 저는 중학교 3학년 때 태훈이랑 같은 반이 되었는데, 태훈이가 공약으로도 안

걸었지만, 아이들의 복지를 위해서 교내 체육대회나, 합창 페스티벌, 누이 마루 축제 등에서 리더십이 뛰어난 모습을 보여주었습니다.

저는 우리 진영중학교를 더 멋지게 빛낸 사람이 '김태훈'이라고 생각합니다.

태훈이는 전교학생회장을 나가 학생들을 대표하고 열심히 봉사하며, 친구들을 돕고 진영중학교를 더욱더 크게 발전시켰습니다.

또한 전교학생회장 일에 바쁜데도 학교 급우들이나 후배들을 잘 챙겨주는 면모가 있는 점에서 태훈이를 높게 평가합니다. 저는 태훈이의 장점을 딱 집어 말씀드리자면, 그는 타인을 먼저 바라보고 학생들의 인권이 얼마나 중요한지 몸소 보여주고 실천하는 사람입니다.

그리고 태훈이는 선 후배의 관계없이 학교에 모든 사람들과 친하게 지냈습니다. 후배들한테는 존댓말 대신 반말을 쓰게 했고, 언제든 학교에 궁금하거나 민원이 있다면, 3층 학생자치실로 방문하게 하여 민원을 전달받았습니다.

태훈이는 학생자치실도 아이들에게는 망설임 없이 개방하는 사람이었습니다.

태훈이가 만약 김해에 국회의원으로 출마한다면 망설임 없이 지지하고 응원할 것 같습니다.

태훈이는 항상 학교 아이들과 소통하기 위해 아이들에게 망설임 없이 열정적으로 다가갔습니다.

태훈이는 항상 화목한 학교를 만들기 위해 많은 노력을 하였는데, 그중 소통을 중요시했었습니다.

태훈이는 항상 소통을 강조했는데 이유를 들어보면 태훈이 말이 맞았습니다, 소통이 되어야 상대방의 기분과 생각을 알 수 있다고 했었습니다.

제가 상대방과 소통을 해보니 “태훈이 말 대로 소통이 되어야 상대방의 기분과 생각 등을 파악할 수 있겠구나”라고 말이죠.

제가 생각하는 태훈이는 이 시대에는 없는 학생들을 위한 진정한 일꾼이 아닐까요?

## 03_
## 권민서 -
## 진영중학교 소중한 후배

행복 교육 10년

미래 교육 100년

나에겐 '김태훈'이란 봉사정신과 열정이 뛰어나고 학생들을 위해 열심히 일하는 내가 이때까지 본 최고의 학생을 대표하는 회장이시다.

저는 중학교를 처음 입학하고 김태훈 회장님을 처음 봤는데 처음엔 장난기가 많아 보이셔서 '저 사람은 뭐지?' 싶었습니다.

근데 제가 학급반장이 되고 나서 처음으로 전교학생회 총회의를 하였을 때 김태훈 회장님께서 회의를 이끌어가는 모습과 각반 반장, 부반장님들의 의견을 잘 들어주시고 그 문제들을 해결해 주시려는 모습을 보고 다시 김태훈 회장님을 생각하게 되었습니다.

김태훈 회장님께서는 지나가실 때도 학생들에게 친근하게 인사해 주시고, 장난도 쳐주셔서 오히려 어색한 느낌이 아닌 친근한 느낌의 학생회장이셔서 학생들에게 굉장히 좋았던 것 같습니다.

또한 교내 체육대회, 합창 페스티벌, 누이 마루 축제 등 사회자 역할을 하시는 것을 보았는데 정말 재밌고 잘하셔서 학생들 모두가 지루하지 않았고 여러 사람들 앞에서 말하는 게 정말 대단하다고 생각이 들었습니다.

김태훈 회장님께서 정치에 관심이 많으신 것 같아서 보다 보니 저 또한 정치에 조금씩 관심이 생긴 것 같습니다.

사실 저는 김태훈 회장님이 그냥 평범한 학교 회장이라 생각하고 있었는데 알고 보니 대한민국에 소속된 지역학생의회 5선 중진 의원이시며, 경남에서 많은 의정 활동을 하고 계신다는 것을 알고 굉장히 놀랐습니다.

그리고 김태훈 회장님께서 책을 쓰신다 길래 더 놀랜 것 같습니다.

처음엔 “오잉?? 김태훈 회장님이 책을 쓰겠다고??? 헐..” 이런 반응이었는데 지금 보니 정말 진심으로 열심히 쓰고 계신 것 같더라고요.

저는 인스타그램 스토리나 게시물로 활동하시는 것을 자주 보는데 그냥 폰으로 봐도 대단하다, 응원해 주고 싶다. 이런 반응이 저절로 나오는 것 같습니다.

김태훈 회장님은 학생들을 대표하시며, 학생들을 위해 열심히 봉사하시고 학생들의 좋은 본보기가 되어 주시며, 진영중학교를 더욱더 발전된 학교로 만들어 주셨습니다.

김태훈 회장님은 자신이 아닌, 타인을 먼저 바라보며, 학생들의 인권이 얼마나 중요한지 아이들에게 잘 보여주셨습니다.

김태훈 회장님은 선 후배 관계없이 다 잘 지내는 모습이 학생들에게 정말 보기 좋았습니다. 저는 제 주변에 이렇게 대단한 사람이 있다는 게 정말 놀랍고 신기합니다.

저는 개인적으로 김태훈 회장님을 1년밖에 보지 못한 사람으로서 김태훈 회장님에 대해 모르는 것이 많습니다만, 김태훈 회장님은 열정적이시고 배려심이 깊으시며, 모든 일에 최선을 다하시는 멋지시고 대단하신 분이라는 것은 확실하다고 감히 생각합니다.

저도 김태훈 회장님을 본받아 김태훈 회장님처럼 반에 있는 아이들을 잘 이끌어갈 수 있도록 최선을 다해 노력해 나아가겠습니다!

김태훈 회장님은 마치 네 잎 클로버처럼 흔치 않은, 희귀한 분 이신 것 같습니다.

앞으로 기나긴 여정을 떠나실 텐데, 항상 건강하시고, 행복한 나날 보내세요!

김태훈 회장님의 꿈이 꼭 이루어지길 응원합니다! 지난 1년간 너무나도 감사했습니다!

앞으로 더 큰 사람이 될 수 있도록 저희도 함께

돕겠습니다! 감사합니다!

## 04_

## 장시은 -
## 장등중학교 소중한 친구

# 모든 정책을
# 학생 중심으로

나에겐 '김태훈'이란 첫인상은 그 누구보다 밝고 재치 있는 말로 분위기를 주도하는 분위기 메이커 역할이었다. 그리고 처음 보는 나에게 먼저 말을 걸어주며 빠르게 적응할 수 있도록 도와줄 만큼 남을 배려하는 마음이 깊은 사람이다.

현재의 '김태훈'은 내가 처음에 봤던 마냥 아이 같던 모습과는 다르게 훨씬 더 성장했고 어른에 조금 더 가까워진 성숙한 사람이 되었다.

조금은 서툴렀던 중학교 3학년 초반과는 다르게 졸업할 때쯤 에는 거의 완벽에 가까운 자랑스러운 진영중학교 학생회장으로서 당당히 도착해 있었다.

태훈이는 그 누구보다도 학생들을 위한 학교학생회장의 작은 정치부터 우리 지역 청소년들을 위한 지역구 의장의 큰 정치까지 전부 진실한 마음으로 하는 사람이다.

개인의 이익보다 모두의 이익을 위해 가장 먼저 나서서 직접 가보고 들으며, 항상 최고의 결과를 도출해 내는 사람이다.

그리고 태훈이는 정치에 대한 나의 부정적 편견을 처음으로 깨게 했던 사람이었다. 학생들을 위한 정치를 하는 모습은 정말 그 어느 누구보다도 멋있고 친구로서 자랑스럽다.

학생들을 위한 정치 쪽에 종사하는 태훈이도 멋있지만 사실 태훈이의 밝고 긍정적인 성격을 가진 본모습이 가장 멋있다고 생각한다.

어른들에게 항상 예의를 갖추며 공손한 태도로 존경하며 예의 바르게 인사드리는 친구이다.

인사하는 것이 뭐가 그리 대단하냐 싶을 수도 있지만 사실 내 주변에는 태훈이 만큼의 바른 인성을 가진 사람이 거의 없을뿐더러 만약 있다 하더라도 모두 보여주기 식의 예의지만, 태훈이는 예의가 습관화되어 있는 것이다.

인사는 사람인(人) 일사{事} 자를 써서 '사람의 기본적인 일'이라는 뜻이다. 이런 기본적인 일부터 하나하나를 잘 지키는 사람이 결국 미래의 우리나라의 기본적인 정치의 빛이 될 것이라고 생각한다.

사실 태훈이가 처음 책을 쓴다고 했을 땐 '워낙 바쁜 친구니깐 천천히 취미로 쓰겠지.' 생각했다.

그러나 생각보다 글쓰기에 진심을 쏟았고, 예상보다 빠른 기간 안에 많은 글을 완성시켰다.

내가 바라본 태훈이의 모습은 항상 무언가에 몰두해 있고 그것이 무엇이든 포기하지 않고 해낼 때까지 노력해 내는 끈기가 본받을 만하다고 생각한다.

더군다나 이때까지의 노력에 대한 글을 쓴다고 하니 항상 응원하는 마음으로 지켜보고 있고 앞으로의 김태훈에 대해 더 큰 기대를 하게 된다.

태훈이에게 한마디 하자면, 태훈아, 난 멀리서 너를 지켜보는 입장이지만 항상 널 응원하고 있고 너의 열정적인 성격 덕에 너는 뭘 해도 잘할 수 있을 거야. 이때까지 정말 잘해왔고 지금도 잘하고 있고 앞으로도 잘할 너의 자신을 믿어 의심치 마.

비록, 여러 비난들이 있다고 해도 그보다 훨씬 더 많은 사람들의 응원이 있다는 걸 절대 잊지 않았으면 좋겠어.

언젠간 성공한 모습으로 당당히 비난들을 밟고 높이 올라갔으면 좋겠어.

가끔 앞에 펼쳐지는 세상의 눈을 감은 것처럼 어둡고 힘들어 헤매게 된다면 내가 깜깜한 어둠 속의 하나의 빛이 되어 밝혀줄게.

태훈아, 멀리서 늘 지켜보고 있고, 그 누구보다 열심히 하고 있어. 네가 늘 말한 아이들을 위한 정책과 아이들을 위한 공간을 꼭 만들고, 꼭 펼치는 사람이 됐으면 좋겠다.

항상 자신감을 가지고 활동하고, 내가 도울 일이 있다면 언제든지 도와줄게, 우린 친구니깐.

항상 널 응원하고 또 응원해! 작은 것부터 차근차근 시작하는 너의 더 크고 넓은 앞날을 응원해. 파이팅!

## 05_

# 김동원 -
# 진영중학교 소중한 친구

행복 교육 10년
미래 교육 100년

나에게 '김태훈'은 함께 있으면 마음이 편안해지고, 나에게 힘을 실어주는 친구입니다.

태훈이를 처음 알게 된 것은 중학교 1학년 때 친구들과 함께 놀면서 알게 되었습니다.

그 당시에 저와 태훈이는 다른 반이어서 접할 기회가 많이는 없었지만 친구를 통해서 그나마 알 수 있었는데, 처음에는 태훈이가 하는 말들을 듣고 말만 화려하고, 번지르르하게 하고 실천은 못 하는 이상한 친구인 줄 알았습니다.

그렇게 태훈이를 생각하며 중학교 1학년을 마무리하고, 중학교 2학년이 되었고, 태훈이가 중학교 2학년 말에 진영중학교 학생회장 선거에 출마하며 지키기 어려울 거 같은 공약들을 내세우는 것을 보고 "저놈 또 말만 저렇게 하네;;"라고 생각하고 있었습니다.

하지만 태훈이가 진짜 당선이 되고 지키지 못할 거 같던 공약들을 지키는 것을 보고 "와 얘는 말을 허투루 하지 않는다. 내가 잘못 생각하고 있었네..."라는 생각을 하게 되었습니다.

이로써 저는 태훈 이에 대한 잘못된 인식을 완전히 탈피하고 진심인 태훈이의 본모습들이 보이기 시작했습니다.

제가 만나 본 친구 중에서 항상 말을 허투루 하는 법이 없고, 자신의 이익보다는 공동의 이익과 공익을 위해서 공약을 세우고 실천하는 딱 제가 생각하는 국회의원의 자질이 보이기 시작했습니다.

태훈이는 학생들을 대표하며, 학생들을 위해 보다 더 열심히 봉사하고 학생들에게 좋은 모습을 보이며, 진영중학교를 더욱더 발전된 학교로 만들어 나갔습니다.

태훈이는 학생을 대표하며, 학생들의 인권이 얼마나 중요한지 아이들에게 늘 행동으로 잘 보여주었습니다.

또한 태훈이는 그 누구라도 선 후배 관계없이 다 잘 지내는 모습이 학생들에게 정말 보기 좋았습니다.

그렇게 시간은 흘러 저희들의 중학교 생활이 막을 내리고 창원대산고등학교에 입학하게 되었습니다.

입학을 하여 배정된 반에 들어가 보니 우연치 않게도 태훈이랑 같은 반에 배정되어 있었습니다.

같은 진영중학교 출신의 친구를 보니 너무나도 반가웠습니다.

하지만 저는 태훈이와 별로 친하지 않았고, 서로 얼굴만 아는 사이였습니다.

평소 아주 내향적인 저는 태훈이와 친해지고 싶었지만 먼저 다가가서 인사하기에 너무 부담스러웠습니다.

그런데 놀랍게도 태훈이는 저에게 먼저 다가와 주었습니다. 태훈이는 친근하게 다가와서 먼저 말을 걸어주었습니다. 이때 저는 느꼈습니다.

“와 태훈 이는 마음이 넓고, 사람들에게 먼저 다가와서 인사를 건네주는 친구구나.” 저는 태훈이 덕분에 학교에 가는 것이 조금씩 즐거워지기 시작했습니다.

그리고 태훈이는 저에게 아주 큰 힘이 되어주었습니다.

태훈이는 아직 고등학교 1학년 밖에 안되었지만, 어린 나이에 그런 깊은 생각을 할 수 있다는 것이 정말 참되고 바른 학생이라는 것을 저는 감히 생각합니다.

저는 태훈이에게서 저의 영원한 롤 모델인 노무현 전 대통령님의 모습이 조금씩 보이기 시작했습니다.

저는 태훈이를 보면서 이런 생각을 했습니다. “태훈이가 나중에 커서 국회의원이 된다면?” 저는 그럴 때마다 이런 답을 스스로 생각하곤 합니다. '그 지역에 있는 사람들은 정말 행운이다.'

저는 태훈이의 진심을 잘 느낄 수 있습니다. 지역을 위해 어떤 일을 해야 하는지, 어떻게 해야 시민을 위한 삶을 살아갈 수 있는지, 시민들이 원하는 것은 무엇인지 말입니다.

그리고 저는 알고 있습니다. 태훈이의 진심이 담긴 말을 말이죠.

마지막으로 태훈이에게 한마디 하자면, 태훈아 너는 중학교 때부터 쭉 봐왔지만 너처럼 훌륭한 친구는 내 인생에 처음이란다.

앞으로도 학생들을 위한 정치를 하고, 나중에 꼭 성공한 사람으로 성장해서 국회의원이 되길 바랄게. 우리는 널 응원하고 있으니까, 우리의 응원 꼭 받아서 힘내고 꼭 멋진 사람 되길 진심으로 바라.

항상 응원할게, 김태훈 파이팅!

## 06_

## 허수빈 - 진영중학교 소중한 친구

# 모든 정책을 학생 중심으로

안녕하세요. 저는 태훈이라는 친구를 중학교 때부터 본 허수빈이라고 합니다.

저는 태훈이처럼 성실하고, 예의도 바르고, 부지런한 친구는 처음입니다.

태훈이는 꿈이 명확한 친구입니다. 꿈을 향해 자신이 무엇을 해야 하는 지도 잘 알고 있는 친구입니다. 저는 처음에 태훈이를 보았을 때, “어? 저 친구는 왜 이렇게 바쁘게 다니지?”라고 생각했습니다.

시간이 지나, 점차 점차 태훈이를 알아가면서 아주 큰 감동을 먹었습니다.

우리를 위해, 아니 경남의 청소년들을 위해, 김해의 청소년들을 위해, 열심히 애쓰면서 일하고 있다는 것을 알게 되었고, 태훈이에게 아주 큰 감동을 받았었습니다.

저는 또 여기서 한 가지를 배웠습니다. 남을 위해 희생할 줄 알고 배려할 줄 아는 태훈이를 닮고 싶었고, 배웠습니다.

태훈이는 김해학생의회 의장 겸 경남학생의회 의원으로 활동 중입니다. 그만큼 학생들을 위해 하는 일도 아주 많습니다.

태훈이는 자신의 주장과 의견이 뚜렷하고 모든 일에 성과도 많은 아주 대단한 친구입니다. 그리고 태훈이는 빈틈없이 완벽하고 멋진 친구입니다.

중학교 3학년 때, 전교학생회장 선거가 시작되었을 때, 기호 3번으로 전교학생회장 선거를 출마한 태훈이를 보았습니다.

그때도 자신의 생각과 정말로 약조할 수 있는 공약만 내세워 학생들의 눈길을 사로잡았습니다.

그러고 며칠 뒤, 선거 결과가 나왔을 때, 태훈이가 압도적으로 진영중학교 전교학생회장에 당선되었습니다.

그러고 자신이 약조했던 공약들을 하나하나 지켜 나갔습니다.

선생님들도 태훈이의 노력과 의지를 좋아하셨습니다. 아쉽게도 저희들의 첫 고등학교 입학은 저와 태훈이는 서로 다른 학교에서 다른 교복과 다른 장소에서 입학식을 했습니다.

이제 거의 만날 일도 적고, 대화할 일도 그렇게 많지도 않습니다. 저는 태훈이의 꿈을 언제 어디서나 응원할 것입니다.

누구나 살다 보면 힘듦과 아픔과 무너짐도 있습니다.

저는 태훈이에게 이런 말을 해주고 싶습니다. "세상이 널 힘들게 하더라도 어느 날 스치는 소나기처럼 잠시 퍼붓고 멈추니, 너무 오래 아프지 않았으며 하고 또한 항상 앞, 뒤, 옆엔 널 지켜주고, 응원해 주는 어른들과 친구들이 있다는 것을.

그리고 찬란한 넓은 공기처럼 너의 앞으로 갈 길도 넓고 찬란하다는 것을 알고 지냈으면 좋겠어."

너의 그 큰 꿈을 응원할게! 파이팅!

# 07_
# 고주형 - 진영중학교 소중한 친구

행복 교육 10년
미래 교육 100년

나에게 '김태훈'이란 '능력 있는 직장 상사'였습니다. 저는 태훈이와 함께 중학교 시절을 보냈고, 이러한 생각을 가진 것은 2학년 때 태훈이가 봉사 활동을 나가고, 우리 학교 오케스트라 정기 연주회에 김해 시 의원을 부른다고 했을 때부터입니다.

그때는 그냥 능력이 뛰어난 친구라고 생각했습니다. 앞으로의 일은 생각도 하지 않고 있었습니다. 봄 방학 중 태훈이가 저에게 전화했습니다. 당시 태훈이는 전교 회장에 당선된 상태였고, 그대로 저에게 전교 총무부장을 제안하더군요. 저는 감각적으로 알 수 있었습니다. '아, 이놈이 나를 정말 일을 엄청나게 시키려고 작정했구나.' 저는 그래서 그 자리를 거절하였습니다.

뭐, 학급 반장을 더 하고 싶었기도 했고요. 뭐 이러나저러나 이것은 의미가 없었습니다. 한 행사가 있었습니다. 제 기억으로는 학생회에서 주최하는 행사였던 것 같습니다. 지나가면서 저도 행사를 즐기려고 준비하는데, 태훈이가 저를 부르더라고요. 일손이 부족하다고요.

네, 여러분의 머릿속에서 그려지는 그 장면이 아마 맞을 것 같네요. 저는 그대로 그날 행사에서 진행 도우미가 되어 정말 힘들게 일을 했습니다.

그런데 일을 하다가 보니 재미는 있더라고요. 그 이후에 체육 대회이며, 축제이며, 심지어는 졸업식까지 태훈이와 함께 일하게 되었습니다.

뭐 이게 뭐 힘들었다고 태훈이를 탓하려는 것이 아닙니다. 이러한 시간이 저에게는 추억으로 남았고, 지금 고등학교 생활을 하면서 큰 도움이 되고 있기 때문입니다. 축제와 반가 대회 등의 진행을 담당하면서 지금은 우리 학교에서 주최하는 BIHS GLOBAL FORM의 운영 및 기획 위원을 할 계획을 세우고 있고, 이런 이야기를 통해서 친구들과 조금 더 친해질 수 있었습니다.

그런 의미에서 태훈이는 정말 고마운 상사(?)입니다. 지금도 연락을 주고받으며 이번에는 책의 일부를 써 달라고 하면서 저에게 또 다른 경험을 주며, 저는 이 글도 써보고 책에도 출판도 되는 많은 사람이 가질 수 없는 경험을 또 하나 주고 있습니다.

하지만 조금은 미안하고 안타까움도 태훈이를 보며 느끼고 있습니다. 회장직을 맡으면서 정말 스트레스를 많이 받았고, 그것을 옆에서 보고, 함께 고민해 본 사람 중 한 명으로서, 태훈이가 얼마나 힘들었는지 보았고 더 큰 도움을 줄 수 없었다는 점이 조금 미안합니다.

최근에는 쓰러져 병원에 있다가 퇴원했다는 이야기를 들었을 때 저는 직감했습니다. '회장직 때문이구나.' 정말 안타까운 친구라는 인식이 하나 더 생기게 되었습니다.

마지막은 좋은 이야기를 하려고 합니다. 태훈이는 친구들이 먼저인 사람입니다. 자신과 상호작용을 하는 사람의 편의를 먼저 생각하며 기꺼이 그 의견을 수렴하기 위해 발로 뛰던 회장이었습니다.

사복을 입고 오는 학생을 잡기 위해 6시부터 학교에 나와 학생을 지도하던 아주 독하고 착한 마음을 가진 사람입니다. 또한 그에 맞는 추진력과 결단력을 가진 리더의 자질을 가진 사람 중 하나라고 생각합니다.

태훈이는 정계 진출이 목표라고 저에게 말했고 저 또한 정치 외교학과가 목표라서 이야기를 많이 했습니다.

저는 태훈이가 건강과 자신의 꿈을 모두 챙기기를 바라며 이 글을 끝내도록 하겠습니다.

# 김태훈은 생각 합니다

"우리의 미래에는
마침표가 없습니다."

# 4부

# Chat GPT가 풀어낸 오늘과 내일

# 01_ Chat GPT가 보는 '김태훈'

## Q. 김태훈이 질문한다

첫 번째 질문, 김해학생의회 의장 김태훈은 지역사회를 위해 어떤 일을 했을까요?

## A. Chat GPT

김해학생의회 의장 김태훈은 2023년 김해학생의회 의장으로 선출된 인물입니다. 김해학생의회는 경남 김해시의 중•고등학생들이 참여하는 자치 기구로, 학생들의 의견을 대변하고 다양한 학생 관련 활동을 주관하는 역할을 합니다.

김태훈 의장은 이 기구의 대표로서 학생들의 권리와 복지를 위해 노력했으며, 여러 가지 회의와 행사에서 중요한 역할을 수행했습니다.

그의 리더십 아래, 김해학생의회는 학생들의 목소리를 효과적으로 반영하고, 지역사회에 학생 자치 활동을 활발히 전개했습니다.

또한 김태훈 의장은 선거를 통하여 의장에 선출되었으며, 재임 기간 동안 학생들의 권익 보호와 의견 수렴을 위해 적극적으로 활동했습니다.

## Q. 김태훈이 질문한다

두 번째 질문, 경남학생의회 의원 김태훈은 지역사회를 위해 어떤 일을 했을까요?

## A. Chat GPT

경남학생의회 의원 김태훈은 2023년에 경남학생의회 의원으로 선출된 인물입니다. 경남학생의회는 경상남도 전역에 초•중•고등학생들 참여하는 자치 기구로, 경상남도에 소속된 지역학생의회에서는 총괄인 자치 기구라고 볼 수 있습니다.

김태훈 의원은 이 기구의 구성원으로서 학생들의 권리와 복지를 위해 노력했으며, 지역 사회의 학생들의 의견을 대변하며, 교육 환경 개선, 학생 권리 보호, 다양한 학교 행사 및 프로젝트에 참여하는 역할을 맡고 있습니다.

김태훈 의원은 경남 지역 학생들이 겪고 있는 문제를 해결하기 위해 꾸준히 활동하고 있습니다.

또한, 김태훈 의원은 선거를 통하여 의원에 선출되었으며, 경상남도 김해시에서는 최초로 선출되어, 재임 기간 동안 학생들의 권익 보호와 의견 수렴을 위해 적극적으로 활동했습니다.

## Q. 김태훈이 질문한다

세 번째 질문, 김태훈 학생 정치인은 어떤 정치인입니까?

## A. Chat GPT

김태훈 학생 대표는 경남학생의회와 김해학생의회 그리고, 진영중학교에서 활동하는 학생 정치인입니다.

그는 학생들의 의견을 대변하며, 학교와 지역 사회의 발전을 위해 노력하는 역할을 맡고 있습니다.

전교학생회장으로서 학교 내의 다양한 행사와 프로젝트를 기획하고, 학생들의 권리와 복지를 증진하기 위해 활동하였습니다.

김태훈 학생 정치인은 리더십을 발휘하여 학생회의 목표를 이루기 위해 노력하며, 학생들의 목소리를 적극적으로 전달하고 문제를 해결하는 데 중점을 두었습니다.

## 김태훈

Chat GPT가 부분적으로는 저를 정확히 파악하고 있는 것 같습니다. 솔직히 제가 저 자신을 평가한다는 것은 매우 부끄럽고 주관적일 것입니다. 그러나 한번 말씀해 보겠습니다.

저는 2021년 경남 진영금병초등학교를 졸업하였고, 2024년 경남 진영중학교를 졸업하였습니다. 현재 2024년 창원대산고등학교에 재학하고 있습니다.

저는 약 3년에 걸쳐서 학생 정치인으로서 많은 역할을 해오고 있습니다.

저는 현재 대한민국 청소년특별회의 경상남도 대표, 제02대 김해학생의회 의장, 제02대 경남학생의회 의원, 경상남도 민선 8기 도민공약평가단 위원, 경상남도 교육청 제7기 주민예산참여위원회 위원, 김해시청소년참여위원회 제20대 위원, 경상남도청소년참여위원회 제20대 부위원장, 김해시청소년수련관 청소년운영위원회 제21대 위원장, 김해시 진영읍 제01대 청소년 대표 겸 정책 자문 위원장, 김해시청소년수련관 청소년운영위원회 제19대 부위원장, 진영중학교 전교학생자치회 제77대 전교학생회장

등을 지냈고 지내고 있습니다.

저는 지역사회를 위해 많은 노력을 하고 있으며, 그중에 학생들의 복지에 힘쓰고 있는 것도 맞는 말입니다.

그때 그 시절 자식의 손을 꼭 잡아주셨던 부모님의 손이 세상에서 가장 따뜻한 손이었듯이 지금 함께 잡은 시민분들의 손이 가장 따뜻한 손입니다.

한 사람 한 사람 잡는 손이 요구하는 것은 모두 다르지만 저는 그들의 손안에 행복을 가득히 가져다주는 정치를 해야 한다는 것을 마음속 깊이 새기고 있습니다.

수많은 시민분들과 손을 잡게 되면 저의 손도 덩달아 따뜻해짐을 느끼게 됩니다. '시민분들의 따뜻한 손'은 '시민분들을 위한 따뜻한 손'이 됩니다.

'미래는 예측하는 것이 아니라 만들어나가는 것'이라는 말이 있습니다. 한 개인이 자신의 미래를 계획하고 만들어나가는 건 참으로 어려운 일입니다. 한 개인이 아니라 공동체라면 더욱 어려울 것입니다.

왜 어려울까요? 미래에 대한 비전, 그 비전을 실현하기 위한 방법, 방법을 실행해 나가는 실천에서 공동체 구성원들의 합의가 필요하기 때문입니다. 비전을 세우는 것도 그것을 실현하는 방법도 또 실천도 어디까지나 공동체 구성원들이 더불어 해야 합니다.

그리고 우리의 미래에는 마침표가 없습니다. 우리 스스로가 만들어 가는 것이기 때문에 멈추어서도 안 됩니다. 미래를 포기하는 순간 이미 과거가 되어버립니다. 이 책의 내용은 결코 답이 아닙니다. 우리가 함께 생각해야 하는 질문들입니다.

우리가 답을 찾아 나아가야 할 시대적 과제들이기도 합니다. 여러분들과 함께 답을 찾아나가고 싶습니다.

우리의 미래를 열어가는데 늘 경청하고 국민과 함께하겠습니다. 혼자서 빨리 가려고 하기보다는 함께 멀리 가기 위해서 노력하겠습니다. 감사합니다.

다음 이야기는, Chat GPT가 보는 '김해시'라는 주제입니다.

Chat GPT가 바라보는 '김해시'는 어떤 '김해시' 일까요?

지금부터 Chat GPT가 보는 '김해시'가 시작됩니다.

# 02_ Chat GPT가 보는 '김해시'

## Q. 김태훈이 질문한다

첫 번째 질문, Chat GPT가 바라보는 김해시는 어떤 도시인가요?

## A. Chat GPT

김해시는 경상남도에 위치한 도시로, 역사와 문화가 풍부한 지역입니다. 이곳은 특히 신라시대의 역사적 유적이 많아 역사 애호가들에게 매력적인 곳이죠. 대표적인 유적지로는 대성동 고분군, 김해박물관, 그리고 김해시를 포함한 가야의 유적들이 있습니다.

또한, 김해시는 산업과 상업적으로도 중요한 지역입니다. 최근에는 현대적 발전과 역사적 가치가 잘 어우러지는 도시로 변화하고 있습니다. 공항과의 근접성 덕분에 교통이 편리하고, 지역 내 다양한 인프라와 서비스가 잘 갖추어져 있습니다.

자연적으로도 김해시는 아름다운 경치와 함께, 낙동강과 가까워 자연환경을 즐기기에 좋은 장소입니다. 역사와 현대가 어우러진 이 도시는 과거와 현재를 동시에 느낄 수 있는 매력적인 도시라고 할 수 있죠.

그리고, 김해시는 풍부한 문화적 행사와 지역 축제 덕분에 활기찬 지역 사회를 경험할 수 있습니다. 예를 들어, 김해 가야문화축제는 지역의 역사와 문화를 잘 보여줍니다. 또한, 다양한 먹거리와 쇼핑 기회가 있는 상업 지역도 많아서 생활 편의성이 뛰어납니다.

## Q. 김태훈이 질문한다

두 번째 질문, Chat GPT가 바라보는 김해시 진영읍은 어떤 도시인가요?

## A. Chat GPT

김해시 진영읍은 경상남도 김해시의 읍 중 하나로, 김해시의 북서부에 위치하고 있습니다. 이 지역은 도시와 농촌의 특성을 동시에 지니고 있는 곳입니다. 다음은 진영읍의 주요 특징입니다:

1. **농촌과 도시의 조화** : 진영읍은 농촌 지역의 평온함과 도시 지역의 현대적 편리함이 조화된 곳입니다. 주변에 넓은 농경지가 있고, 동시에 김해시와의 교통이 편리하여 상업 활동도 활발히 이루어집니다.

2. **교통 편의성** : 진영읍은 주요 도로와의 접근성이 좋아 교통이 편리합니다. 김해시 중심부와도 가까워 지역 간 이동이 용이합니다.

3. **역사와 문화** : 진영읍에는 지역의 전통과 문화를 느낄 수 있는 장소들이 있습니다. 예를 들어, 진영읍 주변

에는 전통적인 한국의 고즈넉한 분위기를 느낄 수 있는 장소들이 있으며, 지역 주민들이 오랜 역사와 문화를 유지하고 있습니다.

4. **산업 및 상업** : 진영읍에는 중소기업과 상업 지역이 형성되어 있어 경제적인 활력을 제공합니다. 지역의 상업 시설과 기업들이 지역 경제를 지원하고 있습니다.

5. **자연환경** : 주변에 자연경관이 아름다운 지역들이 있어 여가 활동이나 힐링을 위한 장소로도 좋습니다. 농촌 지역 특유의 한적함과 자연 친화적인 환경이 주민들에게 평화로운 삶을 제공합니다.

진영읍은 전통과 현대가 어우러진 매력적인 지역으로, 평화롭고 자연 친화적인 환경 속에서 현대적인 편의성을 누릴 수 있는 지역입니다.

## Q. 김태훈이 질문한다

세 번째 질문, Chat GPT가 바라보는 앞으로의 김해시는 어떤 도시가 될까요?

## A. Chat GPT

앞으로의 김해시는 다음과 같은 방향으로 발전할 가능성이 큽니다:

1. **역사와 문화의 중심지** : 김해시는 역사적 유적지와 문화적 자산이 풍부한 도시로, 이러한 자산을 활용한 관광 산업의 발전이 기대됩니다. 가야 역사와 신라 유적을 기반으로 한 역사 문화 관광지로서의 역할이 더욱 중요해질 것입니다.

2. **지속 가능한 도시 발전** : 김해시는 환경 보호와 지속 가능한 발전을 위한 노력을 기울일 것으로 보입니다. 녹색 도시 조성과 에코 친화적인 인프라 개발을 통해 주민들이 건강하고 쾌적한 환경에서 생활할 수 있도록 할 것입니다.

3. **경제 성장과 산업 다변화** : 김해시는 현재의 제조업 중심에서 벗어나, 첨단 산업, 스타트업, 창업 지원 등 다양한 경제 활동을 통해 산업 구조를 다변화할 가능성이 큽니다. IT, 바이오, 관광 산업 등 새로운 산업이 성장할 것입니다.

4. **교통 인프라의 개선** : 김해시는 교통 편의성을 높이기 위한 다양한 프로젝트를 추진할 것으로 보입니다. 김해 공항과의 연계, 교통 혼잡 해소를 위한 대중교통 및 도로망 확장 등이 이루어질 것입니다.

5. **다문화 사회의 융합** : 다문화 사회의 일원이 되는 것에 대한 이해와 포용이 더 커질 것이며, 다문화 가족과 지역 주민 간의 교류와 협력이 활성화될 것입니다. 이를 통해 사회적 통합과 조화가 이루어질 것입니다.

6. **스마트 시티 개발** : 최신 기술을 활용한 스마트 시티 개발이 진행될 가능성이 높습니다. IoT, 빅데이터, AI 등을 활용하여 도시 관리와 주민 생활의 질을 향상시킬 수 있는 스마트 솔루션이 도입될 것입니다.

7. **문화 및 교육 허브** : 김해시는 교육과 문화의 중심지로서 발전할 가능성이 있습니다. 교육 인프라의 확충과 다양한 문화 프로그램을 통해 지역 사회의 수준을 높이고 창의적인 인재를 양성하는 데 집중할 것입니다.

이러한 방향으로 김해시는 전통과 현대를 조화롭게 발전시키며, 역사와 문화를 존중하면서도 현대적이고 지속 가능한 미래를 지향하는 도시로 성장할 것으로 보입니다.

## 김태훈

Chat GPT가 바라보는 김해시는 밝은 미래가 있는 것 같습니다. 제가 생각했을 때는 앞으로 더 많은 다문화 친구들과 함께 어울리며, 세상을 살아가야 하므로, 서로 더 많이 교류하고 친해진다면, 김해시는 그야말로 아름다운 국제 도시가 될 것 같습니다.

# 에필로그

## 한 청소년의 특별한 인생 이야기

저 김태훈은 앞으로도 경상남도와 김해시 그리고 김해시 진영읍 등 더 나아가 대한민국 5000만 국민을 위한 성실한 일꾼이 되기 위해 스스로 노력해 나가고자 합니다.

우리 김해시에도 지역 발전과 지역사회, 지역 시민을 더불어 생각하고 몸소 실천할 수 있는 청소년이 있다는 것을 더 많은 분들께서 알아주시고 응원해 주셨으면 감사하겠습니다.

지난 3년간의 의정 활동의 이야기를 끝으로 이 책을 읽어주시는 독자 여러분들께 한 말씀드리고 자 합니다. "아픈 적이 있었기에 낫는 법을 알고, 넘어져 봤기에 다시 일어서는 법을 안다."

그러니 자신이 하고 싶은 일에 마음껏 도전하며, 넘어지고 아파하며 실수해도 괜찮습니다. 결국, 마지막에는 그 순간들을 추억하며 돌아보는 멋진 당신이 있을 것입니다. 그러나, 우리 모두 안 될 수도 있습니다.

하지만, 해보지 않고는 그 누구도 절대 모릅니다.

나의 인생에 있어서 적어도 나의 꿈이라고 이야기할 수 있다면 해낼 때까지 해야 하지 않을까요?

항상 도전하려는 도전정신을 가지고 노력해 나아가겠습니다.

저는 어떤 길을 걷든 밑에서부터 차근차근 배우며 올라가야 한다고 생각합니다.

이런 나의 꿈을 가정에서도 응원해 주시고, 지역 시민분들께서도 나의 미래를 응원해 주십니다.

부모님께서는 걱정도 하시지만, 집안에 이런 아이가 또 있다는 것에 감격하시며 나의 미래와 꿈에 대한 응원을 아끼지 않으십니다.

그리고 무척 나를 아껴 주시는 분들이 도 계신다. 바로 김해시의회 시의원님들과 김해시장님, 김해 갑 지역구 국회의원님이다.

지역에 이런 인재가 있다는 것에 감격하시며 나의 미래를 위해 함께 달려 주십니다. 진심으로 감사드립니다.

# 글을 마치며

## 한 청소년의
## 특별한 인생 이야기

저는 여러분들과 김해를 함께 걸어왔습니다. 한 걸음 한 걸음 세상을 걸어갈 때마다 김해와 여러분들은 늘 제 옆에서 힘이 되어주었습니다.

좋은 일이 있을 때는 큰 박수를 보내주시고 세상의 돌부리에 걸려 넘어지면 일으켜 세워주시고 좌절하면 큰길을 나아갈 수 있도록 도와주십시오.

김해와 여러분들은 저에겐 없어선 안될 큰 언덕입니다. 미래를 향한 저의 한 걸음 한 걸음 또 한 걸음 한 걸음을 김해와 여러분들과 함께 걸어 나가겠습니다.

김해와 여러분들의 앞으로는 마침표가 없습니다. 저 또한 마찬가지입니다. 저를 위해 희망의 등불을 밝혀주시고, 지지해 주십시오. 저는 여러분들을 상대로 "정치질"하지 않겠습니다.

오직, "지역 사회와 지역 시민을 위한 정책"을 펼치는데 앞장서겠습니다.

앞으로도 여러분들과 함께 낮은 자세에서 많은 것을 배우며, 항상 함께 하겠습니다. 감사합니다.

오늘보다 더 나은 내일, 그리고 정치인이 되기 위한 첫걸음, 부족한 소회를 담은 이 책을 여러분께 바칩니다.

# 포토 에세이

한 청소년의
특별한 인생 이야기

김해시 전경

김해 진영 단감

김해 수로왕릉

김해 한글 박물관

김해 롯데워터파크

김해 봉황동 유적지

김해 분청도자 박물관

김해 민속 박물관

진영역 철도 박물관

국립 김해 박물관

김해 수도 박물관

김해 봉하마을

김해 성냥 전시관

김해 노무현 대통령 생가

김해 한림 박물관

김해 대성동고분군

클레이아크 김해 미술관

김해 화포천 습지생태공원

김해 목재 문화박물관

김해 국제공항

김해 율하 유적 공원

김해 깨어있는 시민문화 체험 전시관

김해 수릉원

김해 구지봉

김해 수로왕비릉

김해 분성산

김해 양동리 고분군

김해 진영 상설시장

김해 장유 대청계곡

김해 장척계곡

김해 와인 동굴

김해 낙동강 레일파크

김해 가야 테마파크

김해 연지공원

김해 시민체육공원

김해 천문대

# 의정 사진

한 청소년의
특별한 인생 이야기

2022년 11월 진영 단감축제 김해시장님과 함께

2022년 11월 진영 단감축제 김해시의원님과 함께

2022년 11월 진영 단감축제 운영위원회 단체 사진

2022년 12월 진영 포럼 환경포럼 개최

2023년 2월 진영 포럼 간담회 참석

2023년 2월 진영발전정책협의 간담회 참석

2023년 3월 진영중학교 제77대 전교학생회장 취임

2023년 3월 가족 건강 걷기대회 참석

2023년 5월 진영 어린이 대축제 참석

2023년 5월 진영 어린이 대축제 내빈분들과 함께

2023년 5월 진영전통시장 활성화 토론회 참석

2023년 6월 진영중학교 제77회 체육대회 단체사진

2023년 6월 진영중학교 제77회 체육대회 개회식

2023년 6월 진영중학교 제77회 체육대회 개최

2023년 6월 진영중학교 학생자치회 워크숍

2023년 6월 연세대학교 홍성표 교수님 강연 참석

2023년 6월 진영밴드 정기공연 참석

2023년 6월 김해 국제와이즈멘 이 취임식 참석

제2023-1호

임 명 장

소속: 진영중학교
이름: 김 태 훈
기간: 2023.3.1.~2024.2.29

위 학생을 2023학년도
김해학생의회 의장으로 임명합니다.

2023년 7월 5일

경상남도김해교육지원청교육장 안 태 환

2023년 7월 김해학생의회 의장 임명장

2023년 7월 김해학생의회 1차 정례회 개최

제2023-10호

당 선 증

소속: 진영중학교
이름: 김 태 훈

위 후보는 2023년 경상남도교육청 학생의회 의원으로 당선되었으므로 당선증을 드립니다.

2023년 7월 10일

경상남도김해교육지원청교육장 안 태 환

2023년 7월 경남학생의회 의원 당선증

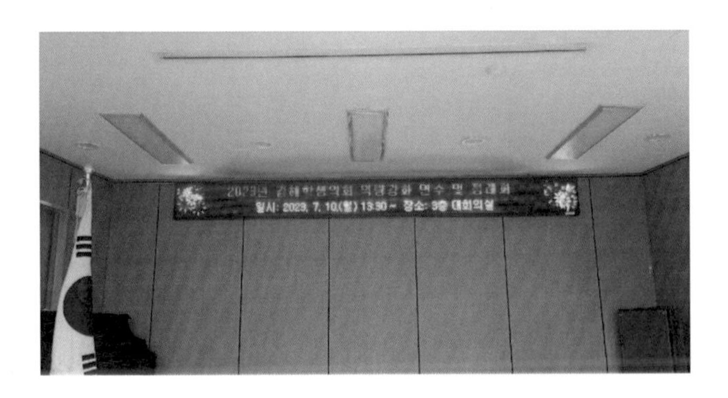


2023년 7월 김해학생의회 2차 정례회 개최

2023년 7월 진영중학교 합창페스티벌 사회자

2023년 8월 강성갑 기념사업회 백일장 대회 참석

2023년 8월 강성갑 기념사업회 백일장 대회 참석

2023년 8월 강성갑 기념사업회 백일장 대회 참석

2023년 8월 강성갑 기념사업회 백일장 대회 참석

2023년 8월 강성갑 기념사업회 개최 기념 단체사진

2023년 8월 목련회 경남지부 창립 기념식 참석

2023년 8월 목련회 경남지부 창립 기념식 참석

2023년 9월 진영농협 창립 50주년 기념식 참석

2023년 9월 경남학생의회 본회의 5분 자유발언

2023년 9월 김해학생의회 본회의 주최

2023년 10월 김해청정공장 정책해커톤 대회 참석

2023년 10월 목련회 경남지부 정기 회의 참석

2023년 10월 진영 하모니장터 기념행사 참석

2023년 10월 김해로 와야G 시민문화축제 참석

2023년 10월 김해로 와야G 시민문화축제 참석

2023년 10월 제39회 진영 단감축제 개회식 참석

2023년 11월 김해글로벌청소년센터 성과나눔회

2023년 11월 민홍철 국회의원님 북콘서트 참석

2023년 11월 경상남도교육감과의 대화 참석

2023년 11월 경상남도교육감과의 대화 단체사진

2023년 12월 김해시의회 의장님, 학생의장과 함께

2023년 12월 2023년 기준 상장 및 임명장 등

2023 12월 진영중학교 누이마루 축제 개최

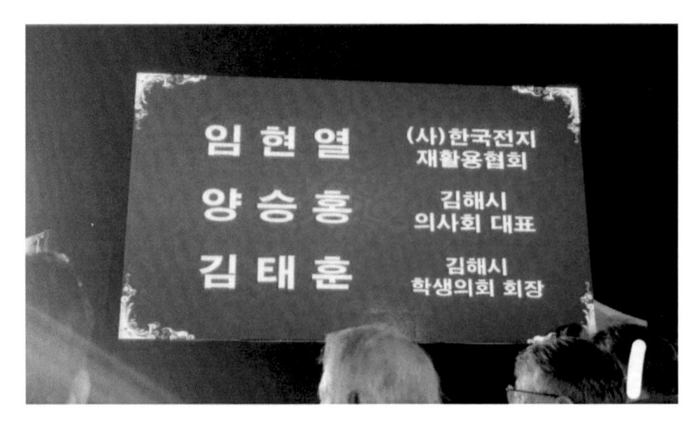


2023년 12월 김해 최초 학생 타종 행사 참여

2024년 1월 김해 최초 학생 타종 행사 참여

2024년 2월 진영중학교 제77회 졸업식 참석

2024년 2월 진영중학교 김영훈 교장선생님과 함께

2024년 2월 진영 봉하마을 달집 태우기 축제 참석

2024년 3월 강성갑 선생 동상 개보수 제막식 참석

2024년 3월 박종훈 경상남도교육감님과 함께

2024년 3월 김해시 청소년 참여위원회 위촉장 수여

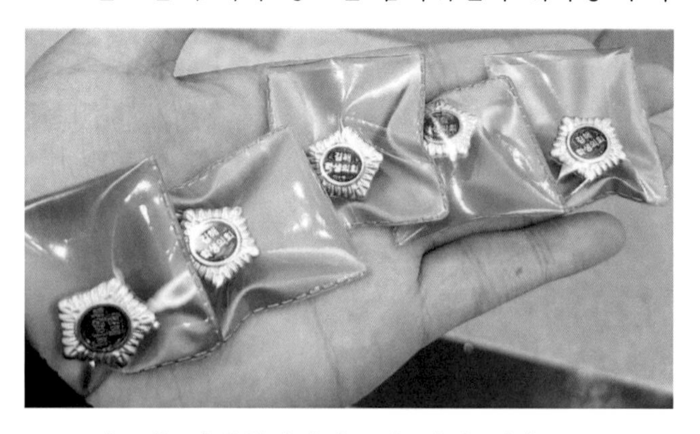

2024년 3월 김해학생의회 5선 의원 배지

2024년 3월 국민의힘 국회의원 후보 사무실 방문

2024년 3월 국민의힘 대표, 국회의원 후보와 함께

2024년 3월 민홍철 의원, 정세균 국무총리와 함께

2024년 3월 가족 사랑 걷기대회 참석

2024년 5월 사람사는 세상 노무현 재단 책 선물

2024년 5월 경상남도 청소년 참여위원회 위촉식

2024년 5월 김해 청소년 축제 별별유스 개회식

2024년 5월 김해 청소년 축제 별별유스 단체사진

2024년 5월 김미경 은평구청장님과 함께

2024년 5월 박찬대 대표, 민홍철 국회의원과 함께

2024년 5월 김동연 경기도지사님과 함께

2024년 5월 김경수 前 경상남도지사님과 함께

2024년 5월 봉하마을 노무현 대통령 추도식 참석

2024년 5월 경상남도 청소년 한마음 축제 참석

2024년 5월 박완수 경상남도지사님과 함께

2024년 5월 경상남도 청소년 한마음 축제 단체사진

2024년 7월 박완수 경상남도지사님과 함께

2024년 7월 박완수 경상남도지사님 사무실 견학

2024년 7월 경상남도청 담당 국장님에게 발언중

2024년 7월 경상남도지사와 함께하는 간담회 참석

2024년 7월 경상남도지사와 함께하는 간담회 참석

2024년 7월 경상남도지사와 함께하는 간담회 참석

2024년 8월 김해시장과 함께하는 소통 간담회 참석

2024년 8월 김해시장과 함께하는 소통 간담회 참석

2024년 8월 김해시의회 견학 및 의원님께 질의중

2024년 8월 경상남도교육청 유튜브 출연

김태훈의 특별한 인생 이야기

**발 행** | 2024년 08월 26일
**저 자** | 김태훈
**펴낸이** | 한건희
**펴낸곳** | 주식회사 부크크
**출판사등록** | 2014.07.15(제2014-16호)
**주 소** | 서울특별시 금천구 가산디지털1로 119 SK트윈타워 A동 305호
**전 화** | 1670-8316
**이메일** | info@bookk.co.kr

ISBN | 979-11-419-0201-8

www.bookk.co.kr